RUSLAN RUSSIAN 2 SUPPLEMENT/

Reading passages, texts, exercises, activities, transla
song for learners, to accompany the Ruslan Russian
John Langran

Ruslan Limited
www.ruslan.co.uk

Introduction

This reader is supplementary material for learners using Ruslan Russian 2 or any other intermediate Russian course (Council of Europe A2 level). The texts tell the story of Igor, Lyudmila's former husband, travelling in Samara and Tomsk, and there is a wide range of background information texts and other material. The book will serve as a link between Ruslan 2 and Ruslan 3, giving additional vocabulary and language practice.

Stress marks have been inserted in some of the texts, but not in all of them. By this stage learners should be getting used to reading without the help of stress marks. There is a dictionary at the back of the book, but learners will probably also need their own separate dictionary.

The accompanying audio CD contains recordings of the texts, poems and song.

Acknowledgements:

Thanks to Ewa Davis, Theo Fautley, Alina Khametova, Sergey Kozlov, Natalya Samoilova and Yulia Zarubinska who have all contributed in various ways. Photos are mainly by myself. Thanks to Samara City Council, Stepan Kadashnikov, Mikhail Kukushkin, Sally Kopp, Jadzia Terlezcka and Wikipedia for additional photos. Voice recordings are by Nadezhda Bragina, Larisa Chandler-Smith, Alexander Galkin, Sergey Kozlov and Alexandra Menshikova.

John Langran, April 2013

Ruslan Russian 2 Reader ISBN 978-1-899785-90-2
Compiled by John Langran
Edited by Alexandra Menshikova and Tanya Scanlan

Errata

Any errors or amendments will be listed on the Ruslan website at: www.ruslan.co.uk/errata.htm

Other Ruslan Russian 2 materials:

ISBN 978-1-899785-48-3 Ruslan 2 Course Book. Council of Europe A2.
ISBN 978-1-899785-52-3 Ruslan 2 Course Book with audio CD.
ISBN 978-1-899785-23-0 Ruslan 2 Student Workbook with audio CD.
ISBN 978-1-899785-10-0 Ruslan 2 CD-ROM. Interactive version for 32 bit Windows.

Ruslan Russian 1 - a first level course for beginners. Council of Europe A1.
Ruslan Russian 3 - advanced. Council of Europe B1 and B2 (UK AS and A levels)
The Ruslan Russian Grammar brings together the grammar from all three levels of the Ruslan Russian course.

Ruslan Limited - www.ruslan.co.uk

СОДЕРЖАНИЕ CONTENTS

Игорь приезжа́ет в Сама́ру

2 Бы́ло уже́ по́здно, когда́ Игорь Абра́мович прие́хал в Сама́ру. Он уста́л: почти́ два́дцать часо́в сиде́л в по́езде из Москвы́. От вокза́ла он дое́хал до до́ма Семёна на трамва́е. Семён жил недалеко́: всего́ три остано́вки от вокза́ла.

Семён – это двою́родный брат Игоря, сын его́ дя́ди Пе́ти. Он живёт оди́н в но́вой кварти́ре с ви́дом на Во́лгу. В де́тстве Семён чу́вствовал, что он не тако́й, как все. Он не игра́л, как дру́гие ма́льчики, на шко́льном дворе́, но ча́сто сиде́л оди́н и ду́мал и предпочита́л чита́ть, рисова́ть и́ли писа́ть стихи́.

Семён всегда́ учи́лся хорошо́ и сдал все шко́льные экза́мены на пять. По́сле шко́лы он поступи́л в Сама́рский университе́т на факульте́т архитекту́ры. Там он то́же сдал всё, кро́ме англи́йского языка́, на пять, получи́л дипло́м и стал рабо́тать архите́ктором в строи́тельной фи́рме недалеко́ от це́нтра го́рода.

Семён не жени́лся. Де́вушки его́ никогда́ не интересова́ли. Почему́ – он не знал, а Игорь не спра́шивал. Игорь счита́л, что ли́чная жизнь Семёна – э́то его́ ли́чное де́ло.

Семён был о́чень рад, что Игорь прие́хал. На ку́хне уже́ вари́лся ры́бный суп, и на столе́ стоя́ли две буты́лки кока-ко́лы.

Они́ сиде́ли до полу́ночи, вспомина́ли о де́тстве и о том вре́мени, кото́рое они́ провели́ вме́сте. Игорь расска́зывал про Русла́на и Людми́лу, и про свою́ рабо́ту. Ро́вно в по́лночь они́ легли́ спать: Семён у себя́ в спа́льне, а Игорь – на дива́не в гости́ной.

СЛОВАРЬ

устава́ть / уста́ть	to be tired

(Он устал can mean "He is tired" or, as here, "He was tired".)

двою́родный брат	cousin (m.)
де́тство	childhood
двор	yard
предпочита́ть / предпоче́сть	to prefer
на пять	with five (top marks)
он стал рабо́тать	he started work
строи́тельная фи́рма	building firm
ли́чный	personal
вари́ться	to be cooking
ры́бный	fish (adj.)
по́лночь (f.)	midnight
до полу́ночи	until midnight
вспомина́ть / вспо́мнить	to remember
про	about
ро́вно	exactly
ложи́ться / лечь спать	to go to bed

(past perfective: он лёг, она́ легла́, они́ легли́)

Игорь Абра́мович
Абра́мович is the patronymic name or о́тчество - "son of Абрам". Note the difference in stress from the family name or фами́лия - «Абрамо́вич».

"About" in Russian
о and про both mean "about".
о is followed by the prepositional.
про is followed by the accusative and is more colloquial.

Вопро́сы к те́ксту

а. Ско́лько вре́мени е́хал Игорь из Москвы́ в Сама́ру?
б. У Семёна есть жена́ и де́ти?
в. Семён сдал все шко́льные и университе́тские экза́мены на пять?
г. Кто Семён по профе́ссии?
д. Игорь и Семён зна́ли друг дру́га в де́тстве?
е. Игорь и Семён легли́ спать ра́но?

Соста́вьте и разыгра́йте диало́г

Игорь и Семён разгова́ривают по́сле у́жина.

Стихотворе́ние

– Поспали ночь и вот Самара!
Сказала Игорю Тамара ...
Она соседка по купе,
Подсела к Игорю в Москве.

«Крылья Советов» – клуб в Самаре, 3
На Волге все гордятся им ...
Играет Игорь на гитаре
Известный всем футбольный гимн! *

С.М. Козлов. 2011.

* речь идёт о футбольном гимне Матвея Блантера, который знают все российские болельщики.

Сама́ра. На стадио́не «Металлу́рг»

Переведи́те на ру́сский язы́к!

1. Samara is a beautiful town. It is 425 years old.
2. Igor likes the new flat. It is near the station.
3. Semyon was not born in Samara but he lived there in his childhood.
4. Semyon does not play sport. He reads a lot.
5. He is a well known architect and he plays the balalaika.
6. Igor was glad to meet Semyon but he was tired after the journey.
7. They ate soup and sat in the kitchen for three hours.
8. They talked about friends and about work.
9. Igor did not pass all his school exams with top marks.
10. Matvey Blanter wrote the well-known Russian football hymn.

Translation hints:

4. "To play sport". Use заниматься спортом.
9. "his" should be left out. We know the exams were his!

Самара

4 Самара – крупный город, расположенный на левом берегу реки Волга к юго-востоку от Москвы. Это административный центр Самарской области, важный экономический, транспортный и научный центр страны.

В советское время с 1935-го по 1991-й год город носил имя Куйбышев, в честь советского государственного и партийного деятеля В.В. Куйбышева.

Население города 1,165 млн. человек.

Сама́ра. Вид на Во́лгу

Сама́ра. Но́вые кварти́ры

Наш любимый город

5 В нашем городе живут гостеприимные и талантливые люди. Они выпускают сложную научную продукцию, производят шоколад и пиво, создают лазерные и нанотехнологии, строят прекрасные дома, делают уникальные операции, учат и воспитывают детей. Самара исторически сложилась как перекрёсток многих культур, цивилизаций и политических движений. Мы открыты для сотрудничества и рады новым друзьям и деловым партнёрам.

Приглашаю вас в Самару!

Пи́шет Глава́ Сама́ры 2010 - Д.И. Аза́ров

Как по-русски? - Find these words and phrases in the texts.

Situated on the left bank.
Party activist.
Hospitable people.
They produce chocolate and beer
Nanotechnologies.
A crossroads of many cultures.
New business partners.

Упражнение

Узнайте 10 важных фактов о Самаре.

Гомофобия в России - пишет Наталья Самойлова

6

До 1993-го года в СССР гомосексуализм был преступлением, а до * 1999-го года – психиатрическим диагнозом.

Сегодня отношение к гомосексуальности в России начало меняться. * Тем не менее, гомосексуальный брак или гражданский союз не возможны. Признание гомосексуальной ориентации может испортить карьеру. Закон запрещает многие гей-акции, а в обществе до сих пор существует отрицательное отношение к гомосексуалитам.

Главными противниками гомосексуальности являются скинхеды (или бритоголовые), которые появились в России в начале 90-х годов. У них своя субкультура: своя музыка, татуировки, своя мода в одежде. Существуют разные группировки, но многие российские скинхеды – расисты, антисемиты и ксенофобы. Их лозунг: «Россия для русских!».

Экстремистские группировки организуют нападения на людей другой расы или национальности, многие из которых – мигранты из Узбекистана, Таджикистана, Азербайджана, студенты, гастарбайтеры. Скинхеды также могут напасть на тех, кто проявляет негетеросексуальную ориентацию.

Многие русские скинхеды – это молодые люди младше двадцати лет. Государство борется с экстремистскими группировками, и в газетах часто появляются статьи о судебных процессах над скинхедами.

* Note that two different words are used for "homosexuality".
The word гомосексуализм with the ending -изм suggests an attitude.
The ending -ость on гомосексуальность suggests instead a state of being.

Как по-русски? - Find these words and phrases in the text.

Homosexuality was a crime.
Attitudes to homosexuality have begun to change.
Civil union.
Homosexual orientation.
To ruin your career.
A negative attitude.
They have their own music.
Racists, antisemites and xenophobes.
Attacks on people of a different race.
Young people under twenty years old.
The state is fighting.

У Семёна

7 На сле́дующий день по́сле прие́зда в Сама́ру, Игорь просну́лся в семь три́дцать и чу́вствовал себя́ гора́здо лу́чше, чем обы́чно.

– Мо́жет быть, э́то потому́, что мы вчера́ пи́ли то́лько Кока-Ко́лу, – посмея́лся Семён.

Пе́рвым де́лом, Игорь помы́лся и побри́лся. Пото́м он включи́л лэпто́п и прове́рил по́чту. Он ждал письма́ о но́вой рабо́те. В го́роде Байка́льске в Сиби́ри откры́лась вака́нсия, на кото́рую он претендова́л. Но сообще́ния из Байкальска не́ было. Он получи́л мно́го спа́ма, письмо́ от бы́вшей жены́ о том, как она́ гуля́ет по Москве́ с англича́нином Пи́тером, сообще́ние от сы́на Русла́на, кото́рый в то вре́мя жил у ба́бушки в Со́фрино, и письмо́ от дру́га из Хаба́ровска с вопро́сом, не хо́чет ли Игорь купи́ть его́ Тойо́ту.

Людми́ла писа́ла о том, как хорошо́ она́ тепе́рь живёт. Уже́ прошло́ два го́да по́сле разво́да, а Игорь и Людми́ла бы́ли по-пре́жнему бли́зкими друзья́ми. Русла́н писа́л о том, как он игра́ет в футбо́л с друзья́ми на шко́льном дворе́.

Интерне́т рабо́тал ме́дленно. Игорь поду́мал, что ему́ на́до поменя́ть прова́йдера и поста́вить но́вый антиви́рус. Он сра́зу отве́тил сы́ну:

> При́вет, сыно́к!
> Рад получи́ть от тебя́ но́вости! Я уже́ в Сама́ре у дя́ди Семёна. Как там у тебя́ в Со́фрино с Интерне́том? У ба́бушки есть компью́тер и́ли ты пи́шешь с по́чты? Молоде́ц, что в футбо́л игра́ешь! Напиши́ про шко́лу и про друзе́й! Ко́ля всё ещё игра́ет на гита́ре? Как ты прово́дишь свобо́дное вре́мя?
> Целу́ю!
> Па́па

Людми́ле и хаба́ровскому дру́гу Игорь реши́л отве́тить по́зже. Он вы́ключил лэпто́п и пошёл на ку́хню за́втракать с Семёном.

СЛОВАРЬ

прие́зд	arrival
просыпа́ться / просну́ться	to wake up
смея́ться / по-	to laugh
пе́рвым де́лом	first of all
мы́ться / по-	to wash (oneself)
бри́ться / по-	to shave
лэпто́п	laptop
по́чта	post (here emails)
вака́нсия	vacancy
претендова́ть (imp.)	to apply for
спам	spam
гуля́ть / по-	to go around (having a good time)
разво́д	divorce
по-пре́жнему	as before
ме́дленно	slowly
прова́йдер	provider
ста́вить / по-	to install
антиви́рус	antivirus software
проводи́ть / провести́ вре́мя	to spend time
целова́ть / по-	to kiss
по́зже	later

Вопро́сы к те́ксту

а. Как Игорь себя́ чу́вствовал у́тром?
б. Игорь получи́л сообще́ние о но́вой рабо́те в Байка́льске?
в. От кого́ он получи́л сообще́ние?
г. Кто хоте́л прода́ть Игорю маши́ну?
д. Интерне́т рабо́тал бы́стро?
е. Игорь был рад, что Русла́н игра́ет в футбо́л?
ж. Кому́ Игорь не написа́л сего́дня?

Напиши́те име́йлы!

а. Приду́майте отве́т, кото́рый Игорь напи́шет Людми́ле. Он пи́шет о том, чем сейча́с занима́ется и о письме́ от Русла́на. Он та́кже спра́шивает о Пи́тере.
б. Приду́майте отве́т, кото́рый Русла́н написа́л Игорю.

Найди́те города́!

Москва́, Сама́ра, Санкт-Петербу́рг, Байка́льск, Хаба́ровск, Екатеринбу́рг, Новосиби́рск, Томск.

Переведи́те на ру́сский язы́к!

1. Sometimes Igor drinks vodka. The following day he feels bad.
2. He prefers to wash and to shave before breakfast.
3. There was no message about the new job in Siberia.
4. Every day he receives a lot of spam.
5. Igor decided to think about the Toyota. He will write to his friend in Khabarovsk later.
6. Lyudmila and Igor are good friends.
7. Now Lyudmila lives and works in Moscow. She has a lot of friends.
8. Igor often writes to his son Ruslan who lives at his grandmother's in Sofrino.
9. When will Igor write to Lyudmila?
10. In Samara the Internet usually works well.

Translation hint:

1. "The following day". Use на with the accusative. "On the following day"..

Почта в России

8 Почта в России существует с 13-го века. Тогда эту работу выполняли ямщики, которые занимались доставкой писем, а также перевозкой людей. Ямщики ездили на тройках с колокольчиками, и тройка стала символом России.

Па́мятник почтово́й тро́йке в го́роде Ле́нске

В 18-ом веке в европейской части России начала работать регулярная почтовая связь.

Россия – первая страна, которая стала использовать поезда для почты. В 1857-ом году в Санкт-Петербурге была введена в обращение первая российская почтовая марка.

«Приве́т из Ха́рькова!» Почтальо́н в 18-ом ве́ке

Пе́рвая росси́йская почто́вая ма́рка

Сегодня Почта России состоит из более чем сорока тысяч отделений почтовой связи. Работники почты принимают и доставляют более одного миллиарда писем, более двенадцати миллионов посылок и более сорока миллионов денежных переводов в год.

Основные почтовые услуги – это приём, перевозка и доставка писем. На почте также можно получить или послать деньги, получить пенсию, послать телеграмму, проверить электронную почту, сделать фотокопию, подписаться на газеты и журналы и даже заказать подарок от Деда Мороза!

День российской почты - это второе воскресенье июля!

Как по-русски? Find these words and phrases in the text. Change endings if necessary.

It exists since the 13th century.
Coachmen.
The delivery of letters.
The transportation of people.
They drove on troikas with bells.
A symbol of Russia.
The European part of Russia.
To use trains for the post.
The first postage stamp.
Forty thousand departments.
They deliver.
A billion letters a year.
A money transfer.
Postal services.
To check your email.
A photocopy.
To subscribe.
A present from Father Frost.

Говори́те!

Чем росси́йская по́чта отлича́ется от по́чты в ва́шей стране́?

Стихотворение

9

Я посылаю вам привет,
Используя свой Интернет,
И с нетерпением жду ответа,
Как соловей всегда ждёт лета.

Вчера послал я телеграмму,
И с праздником поздравил маму.
Она живёт так далеко
И рада получить письмо!

С.М. Козлов, 2012

испо́льзуя - using
свой - one's own (here "my")
нетерпе́ние - impatience
солове́й - a nightingale
ле́то - summer
поздра́вить - to congratulate

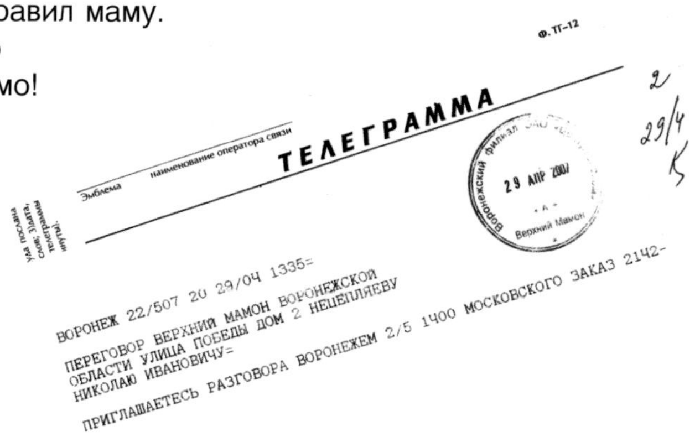

Интернет-словарь. Что есть что?

ноутбу́к	мегаби́т	паро́ль (m.)	логи́н
лапто́п	доме́н	бра́узер	диспле́й
име́йл	блог	Гугл	се́рвер
веб сайт	тра́фик	Скайп	спам
прова́йдер	сообще́ние	Фе́йсбук	хо́стинг
смартфо́н	ви́рус	Тви́ттер	ха́кер

30 сентября в России отмечается День Интернета!

Вопро́с о маши́не

10 Игорь о́чень заинтересова́лся япо́нской маши́ной. Наве́рное, е́сли он ку́пит маши́ну у дру́га, э́то бу́дет деше́вле и надёжнее. Но ну́жно бу́дет плати́ть за биле́т до Хаба́ровска, а пото́м за бензи́н от Хаба́ровска до Москвы́. И, коне́чно, вре́мя – э́то то́же де́ньги. Но е́сли Игорь перее́дет в Байка́льск, там он бу́дет бли́же к Хаба́ровску.

«Лу́чше снача́ла узна́ть о но́вой рабо́те», – поду́мал Игорь. Но он реши́л за́втра позвони́ть дру́гу в Хаба́ровск и спроси́ть, ско́лько он хо́чет за маши́ну. Мо́жет быть, всё-таки лу́чше купи́ть «Жигули́»?

Сего́дня он встреча́ется с представи́телем грузово́й компа́нии «Волгогруз», что́бы обсуди́ть контра́кт на перево́зку гру́зов по Во́лге, из Сама́ры в Москву́. Игорь предпочита́л посыла́ть больши́е гру́зы по реке́, когда́ э́то возмо́жно. Во-пе́рвых, э́то деше́вле, а во-вторы́х, э́то ме́нее вре́дно для окружа́ющей среды́. Но речно́й тра́нспорт ме́дленее, чем грузови́к и́ли по́езд и рабо́тает то́лько ле́том.

Игорь и Семён поза́втракали: кукуру́зные хло́пья и бутербро́д с ветчино́й.

– Хоро́шая ветчина́, сказа́л Игорь. Вкусне́е, чем в Москве́.
– Да, ветчина́ сара́товская. Это неме́цкая фи́рма.
– Ла́дно. Я пошёл.
– Возьми́ зонт.
– Нет, прогно́з отли́чный. Обеща́ли со́лнце и два́дцать пять гра́дусов.

Игорь взял су́мку и ключ, вы́шел из кварти́ры и пошёл на трамва́йную остано́вку. До встре́чи ещё был це́лый час. Трамва́й подошёл сра́зу, и Игорь бы́стро дое́хал до це́нтра го́рода. Он зашёл в кафе́, откры́л лэпто́п и написа́л ста́рому дру́гу Ива́ну Козло́ву письмо́ о том, как Сама́ра отлича́ется от Москвы́. В письме́ он та́кже проси́л сове́та, каку́ю маши́ну лу́чше купи́ть.

СЛОВАРЬ

интересова́ться / за-	to be interested in	зонт	umbrella
надёжнее	more reliable	обеща́ть / по-	to promise
бли́же к (+ dat.)	closer to	он вы́шел из	he went out of *
всё-таки	all the same	он пошёл на	he went to *
представи́тель (m.)	representative	трамва́й подошёл	the tram arrived *
грузово́й	cargo (adj.)	он зашёл в	he stopped off at *
перево́зка	transportation	он дое́хал до	he got to (transport) *
груз	cargo	отлича́ться от (+ gen.)	to differ from
окружа́ющая среда́	the environment	сове́т	advice
грузови́к	a lorry		
кукуру́зные хло́пья	cornflakes		
ветчина́	ham		
сара́товский	from Saratov		

* There is an explanation of verbs of motion in Ruslan 2 Lesson 7.

Вопро́сы к те́ксту

а. Почему́ Игорь хоте́л купи́ть маши́ну у дру́га?
б. Игорь знал це́ну япо́нской маши́ны?
в. Почему́ лу́чше посыла́ть гру́зы по реке́?
г. Как мо́жно посыла́ть гру́зы зимо́й?
д. Игорю понра́вилась ветчина́?
е. Где де́лают э́ту ветчину́?
ж. Игорь взял с собо́й зонт? Почему́?
з. Что он де́лал в кафе́?

Напиши́те име́йл

Приду́майте и напиши́те письмо́ Игоря Ива́ну.

Сара́тов

Большой город на Волге, на юге от Самары. В Саратовской области 11
и в Поволжье проживает довольно много людей немецкого происхождения. Саратов известен своим рынком, своими мясными продуктами и своим пивом.

Кры́тый ры́нок в Сара́тове

Переведи́те на ру́сский язы́к!

1. It is cheaper to buy a car from a friend.
2. A ticket to Khabarovsk is expensive.
3. River transport is cheaper, but slower.
4. A lorry is faster, but more expensive.
5. It is possible to send goods by river in summer but not in winter.
6. Igor likes German ham.
7. They have promised rain. I will buy an umbrella.
8. A laptop is smaller than a computer. You can carry it in your bag.
9. Samara and Toliatti are on the Volga, but Saratov is not.
10. Samara is smaller than Moscow but larger than Saratov.

Translation hints:

1. "From a friend". Use у with the genitive.

3. 4. 5. 9. 10. You have to decide whether to use но or а for "but".

5. 9. Use a dash "–" in these sentences.

Машины «Жигули»

12 Машины «Жигули» производятся на крупном заводе АВТОВАЗе (Волжском Автомобильном Заводе) в городе Тольятти на Волге недалеко от Самары.

Автозавод начали строить в 1967-ом году с помощью итальянского автомобильного концерна «Фиат». Первые машины были готовы в апреле 1970-го года. Это были ВАЗ-2101 «Жигули», очень похожие на итальянскую модель «ФИАТ-124». Говорят, что директор завода назвал новую машину «Лада» в честь своей дочери.

Первые «Жигули» были «Самара», «Ока» и «Нива». Современные машины – это семейство «Калина» (седан, универсал и хэтчбек), а также седан «Гранта».

В 2007-ом году началась программа модернизации завода с помощью французской компании «Рено». Однако во время финансового кризиса 2008-2009-го годов АВТОВАЗ сильно пострадал. В 2009-ом году завод получил государственные субсидии на сумму 89 миллиардов рублей. Благодаря этой помощи и новому контракту с «Рено», директор завода объявил о прибыли в 24 миллиона рублей для первой половины 2010-го года.

Сегодя на заводе АВТОВАЗ производятся и отечественные машины «ВАЗ», и иномарки – французские «РЕНО».

На заво́де

Моде́ль «Сама́ра»

Как по-русски? Find these words and phrases in the text. Change endings if necessary.

Cars are manufactured.
With help.
Very similar to.
People say.
In honour of his daughter.
A saloon car.
An estate car.
A hatchback.
Avtovaz suffered badly.
State subsidies.
A billion roubles.
Thanks to this help.
A profit.
The first half.
Foreign cars.

Вопросы к тексту

а. В како́м го́роде произво́дятся маши́ны «Жигули́»?
б. В како́м году́ на́чали стро́ить АВТОВАЗ?
в. На каку́ю моде́ль бы́ли похо́жи пе́рвые «Жигули́»?
г. Кто така́я Ла́да?
д. Кто помога́л АВТОВАЗу с програ́ммой модерниза́ции?
ж. Каки́е маши́ны произво́дятся на заво́де сего́дня?

Стихотворение 13

Есть Тольятти под Самарой,
Жигулями славится.
Приезжайте посмотреть!
Город вам понравится.
С.М. Козлов. 2011

сла́виться - to be famous for

Стихотворение 14

Человеку, чтобы жить,
Надо есть и надо пить.
Пища есть и для машин,
Называется бензин.
(www.vospitatel.com.ua)

пи́ща - food

Про́бка в го́роде

Про́бка за́ городом

Песня на мотив «Как много девушек хороших!» 15

Как много пробок на дороге,
Как много в городе машин!
Все вдруг водителями стали,
Тратят деньги на бензин.

Как мало в городе парковок,
И парковаться нелегко!
Оставлю дома я машину,
Буду ездить на метро!

Люди, оставьте вы машины дома!
Люди, как хорошо пешком ходить!
Люди, не нужно думать о парковке –
Пешком ходите, чтоб за парковку не платить!
Слова - Александра Меньшикова.
Исполнение - Надежда Брагина и Александр Галкин.

Слова́рь

про́бка	-	traffic jam
тра́тить	-	to spend (waste)
парко́вка	-	parking space
паркова́ться	-	to park a car
оста́вить (perf.)	-	to leave

«Волгогру́з»

16 Без десяти́ оди́ннадцать Игорь уже сидéл в кабинéте Михаи́ла Юрьевича Глазунóва – дирéктора грузовóй компáнии «Волгогру́з». Они́ договори́лись, что подпи́шут контрáкт на оди́н год. Фи́рма Игоря бу́дет посылáть гру́зы по рекé с апрéля по октя́брь следу́ющего гóда. Оплáта бу́дет зави́сеть от объёма и вéса гру́зов, но бу́дет не мéньше восьми́десяти́ ты́сяч рублéй в мéсяц. Игорь заплáтит за пéрвые два мéсяца вперёд. Они́ встрéтятся ещё раз следу́ющим лéтом, чтобы́ договори́ться о том, как организовáть достáвку гру́зов зимóй.

Бесéда закóнчилась в чéтверть пéрвого, и Игорь был свобóден. Он вошёл в метрó, купи́л жетóн и доéхал до стáнции «Росси́йская». Отту́да он пошёл пешкóм на Вóлжскую нáбережную, в киóске купи́л два пирогá с капу́стой, сел на скамéйку и дóлго любовáлся ви́дом на Вóлгу.

С моби́льного он позвони́л дру́гу в Хабáровск, но отвéта нé было. Он реши́л послáть СМС: "Возмóжно куплю́ «япóнца». Когдá смóжешь поговори́ть?"

Он тáкже позвони́л бы́вшей женé Людми́ле. Отвéтил автоотвéтчик: «Я не могу́ сейчáс отвéтить на ваш звонóк. Остáвьте, пожáлуйста, сообщéние пóсле сигнáла». Игорь сказáл "Привéт", спроси́л о здорóвье и делáх, а потóм объясни́л, что в четвéрг поéдет в Томск и отту́да ещё раз позвони́т.

Потóм он позвони́л Семёну на рабóту и договори́лся встрéтиться с ним без двадцати́ шесть óколо китáйского ресторáна, там же поу́жинать и вéчером пойти́ на концéрт соврéменного джáза в кафé на у́лице Достоéвского.

СЛОВАРЬ

подпи́сывать / подписáть	to sign
по октя́брь	until October *
объём	volume
вес	weight
заплати́ть вперёд	to pay in advance
достáвка	delivery
бесéда	conversation, meeting
жетóн	a token
капу́ста	cabbage
любовáться / по-	to admire
моби́льный	mobile phone
СМС	text message
возмóжно	it is possible
япóнец	Japanese (here a car)
звонóк	phone call
сигнáл	signal, tone

* You have already met по with the dative, meaning "along". по can also be used with the accusative to mean "until" (up to the end of a period of time).

Вопро́сы к те́ксту

а. Как зову́т дире́ктора фи́рмы «Волгогру́з»?
б. Каку́ю су́мму Игорь до́лжен заплати́ть вперёд?
в. Михаи́л Юрьевич пригласи́л Игоря пообе́дать в рестора́не?
г. Где обе́дал Игорь?
д. Почему́ он посла́л СМС дру́гу?
е. Игорь поговори́л с Людми́лой?
ж. Где Игорь и Семён реши́ли поу́жинать?
з. Как они́ проведу́т ве́чер по́сле рестора́на?

Напиши́те сообще́ние

Напиши́те сообще́ние, кото́рое Игорь оста́вил у Людми́лы на автоотве́тчике.

Соста́вьте и разыгра́йте диало́г

Игорь звони́т Семёну по телефо́ну и они́ говоря́т о том, что они́ бу́дут де́лать ве́чером.

Река́ Во́лга

Переведи́те на ру́сский язы́к!

1. Igor and the director of the freight company met in the director's office .
2. They signed a contract about the transportation of goods along the Volga.
3. In the summer they will meet again to discuss a contract for the winter.
4. At a quarter to one Igor decided to sit in the sun and to telephone about the car.
5. Igor did not speak to Lyudmila. Perhaps she was in a Japanese restaurant in Moscow with Ivan or with Peter.
6. Igor left a message on Lyudmila's answerphone.
7. He said that he would ring again from Tomsk.
8. At twenty to six Igor met Semyon and they had their evening meal in a Chinese restaurant.
9. After the restaurant they listened to some contemporary jazz in a cafe.
10. Is it true that Dostoyevsky lived in Samara?

Translation hints:

3. "(in order) to discuss". Use чтобы with the infinitive.
4. 8. "at a quarter to one". Don't put в before без.
7. In reported speech use the tense that the speaker actually used.
8. "they had their evening meal ". Find a verb for this. One word!

Сотовая связь в России

17 В России сотовая связь появилась в 1990-ом году. Руководитель Клуба региональной журналистики Ирина Ясина вспоминает: «Первый мобильный телефон стоил пять тысяч долларов. Его, как чемодан, надо было за собой носить. Это было смешно.»

Качество мобильной связи значительно лучше в европейской части Российской Федерации, чем, например, в Сибири. Несмотря на это, в большинстве районных и региональных центров покрытие хорошее, особенно вдоль главных автодорог.

Таким образом, вы можете пользоваться вашим мобильным телефоном если вы путешествуете по России на машине по главным автодорогам. В поезде ваш телефон может не работать, но Российская железная дорога в 2012-ом году заключила контракт с компанией «Мегафон», чтобы в будущем улучшить покрытие для пассажиров.
(Пишет Юлия Зарубинска. Апрель 2012)

Как по-русски?
Find these words and phrases in the text. Change endings if necessary.

Communications.	Major roads.
One had to carry it.	You can use.
It was funny.	To travel around Russia.
The quality.	On a train.
The European part.	To sign a contract.
Regional centres.	In the future.
Coverage.	To improve.

Говори́те!

Чем со́товая связь в Росси́и отлича́ется от со́товой свя́зи в ва́шей стране́?

18 Стихотворение «Московское метро»

Люблю я ездить на метро,
Всегда там чисто и тепло,
Да и недорого совсем;
Метро советую я всем.

На станции «Царицыно»
красивый есть музей.
Мы ждём вас.
Приезжайте!
Вас встретим как друзей!
С.М. Козлов. 2011

Серге́й Козло́в на террито́рии музе́я «Цари́цыно»

Киевляне будут читать стихи

19

Теперь ежедневно до восьмого октября по дороге на работу и с работы киевляне будут читать стихи. Сегодня в Киеве стартовал международный проект «Стихи в метро», главная цель которого – популяризировать современную поэзию в городском пространстве.

Это акция Евросоюза, которая проводится при поддержке Польского института в Киеве. Как говорят организаторы, цель проекта – экспозиция стихов в столичной подземке. Проект включает тридцать стихотворений польских поэтов.

Кроме того, стихами украсят стены стадиона «Динамо», одну из аллей Мариинского парка, аллею между Красным корпусом университета имени Шевченко и Ботаническим садом. Кстати, кроме Киева подобные акции проводят ещё в восьми городах мира.
(Газета «Сегондя» 27.09.2011)

Find these words and phrases in the text. Change endings if necessary.
Citizens of Kiev.
On the way to work.
An international project.
A measure of the European Union.
With the support of.
The organisers.
The aim of the project.
Polish poets.
An avenue.
Apart from Kiev.

Вопро́сы к те́ксту

а. Кто написа́л э́ти стихи́?
б. Стихи́ бу́дут то́лько в метро́?
в. Акция прово́дится то́лько в Ки́еве?
г. Ду́маете ли Вы, что иде́я хоро́шая?
д. Почему́ Вы так ду́маете?

Ты ипохо́ндрик!

20 На сле́дующий день Игорь просну́лся ра́но. У него́ си́льно боле́ли голова́ и ше́я. Игорь неда́вно чита́л статью́ о пти́чьем гри́ппе и боя́лся, что зарази́лся в по́езде из Москвы́.

Семён засмея́лся:
– Ты ипохо́ндрик! У меня́ то́же боли́т голова́, но я ду́маю, что э́то мигре́нь.

У Семёна быва́ли мигре́ни, и когда́ это случа́лось, е́му невозмо́жно бы́ло рабо́тать. Он не мог терпе́ть ни шум, ни я́ркий свет, и ему́ приходи́лось це́лый день сиде́ть до́ма в тишине́ и поко́е. Дире́ктор архитекту́рной фи́рмы, где Семён рабо́тал, не понима́л эту́ пробле́му, и Семён до́лжен был ка́ждый раз проси́ть у врача́ больни́чный лист.

Игорь вы́пил аспири́н от головно́й бо́ли, но Семён отказа́лся от лека́рств. Он сказа́л, что табле́тки не помога́ют.

Игорь реши́л погуля́ть в па́рке, пото́м посиде́л в тени́ и почита́л газе́ту. На обра́тном пути́ он зашёл в поликли́нику. Семён был зна́ком с администра́тором и позвони́л ей у́тром. Она́ уже́ пригото́вила ему́ больни́чный лист для рабо́ты. Игорь объясни́л, что Семён – его́ ро́дственник, взял больни́чный лист и верну́лся в кварти́ру.

СЛОВАРЬ

ипохо́ндрик	hypochondriac
пти́чьий грипп	bird flu
боя́ться (imp.)	to be afraid of
заража́ться / зарази́ться	to be infected
смея́ться / за-	to laugh
мигре́нь (f.)	migraine
терпе́ть / по-	to put up with
ни ..., ни ...	neither ..., nor ...
я́ркий	bright
свет	light
шум	noise
(ему́) приходи́лось	(he) needed to
тишина́	quietness
поко́й	peace
больни́чный лист	a sick note
отка́зываться / отказа́ться	to refuse
тень (f.)	shade

Вопро́сы к те́ксту

а. Игорь заболе́л пти́чьим гри́ппом?
б. Почему́ у Семёна боле́ла голова́?
в. Како́е лека́рство вы́пил Игорь?
г. Почему́ Семён не принима́л лека́рства?
д. Семён ходи́л на рабо́ту сего́дня?
е. Игорь посиде́л в тени́, потому́ что шёл дождь?
ж. Заче́м Игорь зашёл в поликли́нику?

Соста́вьте и разыгра́йте диало́ги

а. Семён звони́т дире́ктору и объясня́ет, что у него́ си́льная мигре́нь, и что он не мо́жет прийти́ на рабо́ту. Дире́ктор недово́лен э́тим.

си́льный - strong
си́льная мигре́нь - a bad migraine

б. Игорь и администра́тор поликли́ники. Игорь объясня́ет, что он ро́дственник Семёна. У Семёна опя́ть си́льная мигре́нь, и ему́ ну́жнен больни́чный лист для рабо́ты. Администра́тор говори́т, что она́ уже́ зна́ет, потому́ что Семён ей позвони́л у́тром. Она́ даёт Игорю больни́чный лист.

в. Игорь возвраща́ется в кварти́ру, отдаёт больни́чный лист Семёну и расска́зывает ему́ о том, как он провёл день.

Моско́вская городска́я больни́ца №1

Переведи́те на ру́сский язы́к!

1. Igor was frightened that he had bird flu.
2. Aspirin usually doesn’t help.
3. When Semyon has a migraine he cannot think.
4. Today he has a very bad migraine
5. Semyon has lost his appetite. He doesn’t want to eat or drink.
6. Semyon needs a sick note from the doctor.
7. He must give the note to his director at work.
8. Why are you sitting in the shade?
9. Because it is hot today and I want to read the paper.
10. You can sit in the shade too, if you want to.

Translation hints:

1. In reported thought, use the tense that the person actually thought in!
5. “his” should be left out. “He doesn’t want to eat or drink”. Use ни ..., ни ...

Людмила Ивановна Аборкина – врач-педиатр

21

Здравствуйте, меня зовут Людмила Аборкина. Я врач-педиатр в поликлинике в Москве. Я окончила Алтайский Государственный медицинский университет в 1973-ем году, а затем переехала в Москву с мужем и со своими двумя маленькими сыновьями.

Я работаю в поликлинике уже тридцать четыре года. Двадцать лет назад я стала заведующей педиатрическим отделением. Я помогаю молодым врачам-педиатрам и передаю им свой опыт.
Я горжусь своей профессией, очень люблю детей и хочу, чтобы они были здоровы.

Мой рабочий день начинается в восемь тридцать и кончается в шесть часов вечера. Я принимаю и консультирую родителей с детьми, организую работу врачей. Мы занимаемся не только лечением, но и профилактикой различных болезней. Наши дети часто болеют респираторно-вирусными инфекциями. Большую роль в этом играет плохая экологическая обстановка крупного города.

У врачей очень много дел и обязанностей, а вот зарплата оставляет желать лучшего.

Недавно в нашей поликлинике начался капитальный ремонт, она стала более светлой, тёплой и комфортной для пациентов и персонала.
В будущем я мечтаю работать с более современным диагностическим оборудованием и более современными лечебными средствами.

Здоровье нации зависит от здоровья детей. Моя любимая работа – это вклад в будущее страны.

Как по-русски? Find these words and phrases in the text. Change endings if necessary.

A paediatrician.
Head of the paediatric department.
I pass on my experience.
I am proud of my profession.
The work of the doctors.
Treatment.
Preventative care.
The bad ecological environment.
The salary leaves something to be desired.
More up to date.
An investment in the future of the country.

Вопро́сы к те́ксту

а. Людми́ла – москви́чка?
б. Как вы ду́маете, ско́лько ей лет?
в. Кака́я у неё до́лжность?

г. Как влия́ет экологи́ческая обстано́вка го́рода на здоро́вье дете́й?
д. Людми́ла счита́ет, что её зарпла́та хоро́шая?
е. Каки́е измене́ния бы́ли в её поликли́нике в после́днее вре́мя?
ж. Почему́ здоро́вье дете́й – тако́е ва́жное де́ло?

Поста́вьте диа́гноз! Пе́рвые два приме́ра уже́ сде́ланы.

Боле́знь	**Illness**	
Просту́да	Cold	4,7,8
Грипп	Flu	1,2,4,7,8,10,11,12,13,21
Анги́на	Tonsilitis	
Бронхи́т	Bronchitis	
Астма	Asthma	
Серде́чный при́ступ	Heart attack	
Аллерги́я	Allergy	
Аппендици́т	Appendicitis	
Отравле́ние	Food poisoning	
Артри́т	Arthritis	

Симпто́мы	**Symptoms**
1. высо́кая температу́ра	high temperature
2. озно́б	fever
3. головокруже́ние	dizziness, vertigo
4. головна́я боль	headache
5. боль в груди́	chest pain
6. боль в боку́	pain in the side
7. боль в го́рле	sore throat
8. ка́шель	cough
9. рво́та	vomiting
10. поно́с	diarrhoea
11. мы́шечная боль	muscle pain
12. боль в суста́вах	pain in the joints
13. си́льная сла́бость	acute weakness
14. бле́дность	paleness
15. покрасне́ние	redness
16. отёк	swelling
17. синя́к	bruising
18. сыпь	rash
19. зуд	itchiness
20. уду́шье	shortness of breath
21. нет аппети́та	no appetite

Зате́м повтори́те упражне́ние без англи́йского перево́да!

Игорь гото́вится к пое́здке

22 В четве́рг Игорь чу́вствовал се́бя гора́здо лу́чше. Утром он попроща́лся с Семёном и пое́хал на вокза́л. До по́езда в Томск остава́лось два часа́. Игорь э́то знал: он прове́рил расписа́ние поездо́в по интерне́ту ещё позавчера́, но не купи́л биле́т, потому́ что не знал то́чно, когда́ пое́дет. Он купи́л биле́т в ка́ссе, пото́м оста́вил чемода́н в ка́мере хране́ния и пошёл в ЦУМ, что́бы купи́ть ле́тнюю оде́жду. Он нашёл отде́л мужско́й оде́жды на второ́м этаже́ и купи́л голубу́ю руба́шку и лёгкие се́рые брю́ки. Пото́м в отде́ле о́буви он нашёл удо́бные кита́йские кроссо́вки сорокового́ разме́ра.

В кио́ске о́коло вокза́ла Игорь купи́л люби́мые пироги́ с капу́стой, две ба́нки че́шского пи́ва, автомоби́льный журна́л и кни́жку с кроссво́рдами. Остава́лось три́дцать мину́т до по́езда, и Игорь ещё раз позвони́л в Хаба́ровск. Отве́тил автоотве́тчик. Игорь оста́вил сообще́ние, что его́ всё ещё интересу́ет Тойо́та и он хо́чет знать, ско́лько она́ сто́ит и когда́ её мо́жно бу́дет забра́ть.

Игорь верну́лся на вокза́л, пошёл в ка́меру хране́ния, отда́л тало́н и забра́л чемода́н. Пото́м он вы́шел на платфо́рму. У платфо́рмы уже́ стоя́л по́езд. Игорь подошёл к девя́тому ваго́ну, показа́л биле́т проводнику́, вошёл в по́езд и нашёл своё ме́сто.

СЛОВАРЬ

проща́ться / по-	to say goodbye to
остава́ться / оста́ться	to remain
позавчера́	the day before yesterday
ка́мера хране́ния	left luggage office
ле́тний	summer (adj.)
оде́жда (sing.)	clothes
он нашёл	he found
брю́ки	trousers
кроссо́вки	track shoes
сорокво́й	fortieth
че́шский	Czech
кни́жка	booklet
кроссво́рд	crossword
забира́ть / забра́ть	to collect
он вы́шел	he went out *
он подошёл к	he went up to *
он вошёл в	he went in to *

* There is an explanation of verbs of motion in Ruslan 2 Lesson 7.

Вопро́сы к те́ксту

а. Семён проводи́л Игоря на вокза́л?
б. Как Игорь узна́л расписа́ние поездо́в?
в. Почему́ он не купи́л железнодоро́жный биле́т чере́з интерне́т?
г. Где он купи́л биле́т?
д. Как вы ду́маете, почему́ он оста́вил чемода́н в ка́мере хране́ния?
е. Что купи́л Игорь пе́ред пое́здкой?
ж. Игорь поговори́л с дру́гом из Хаба́ровска?
з. В како́м ваго́не е́хал Игорь?

Соста́вьте и разыгра́йте диало́ги

а. Игорь и продаве́ц биле́тов у железнодоро́жной ка́ссы.
б. Игорь и рабо́тник у ка́меры хране́ния.
в. Игорь и продаве́ц мужско́й оде́жды в ЦУМе.
г. Игорь и продаве́ц из кио́ска.

Кио́ск. Газе́ты и журна́лы.

Кио́ск. Овощи и фру́кты.

Где здесь ка́мера хране́ния?

Вот она́!

Переведи́те на ру́сский язы́к!

1. Semyon felt better too.
2. It is possible to check the train timetable on the Internet.
3. Igor didn’t buy his ticket the day before yesterday.
4. If you want to leave your case in the left luggage office it will cost about forty roubles a day.
5. In TsUM in Samara clothes are cheaper than in TsUM in Moscow.
6. Women’s clothes are on the ground floor and men’s clothes are on the first floor.
7. Do you like my track shoes? They are very comfortable..
8. He bought a size forty eight shirt.
9. At last your answer machine is working!
10. How much does the Japanese car cost?

Translation hints:

3. “his” should be left out. We know the ticket is his!
4. “your” should be left out.

ГУМ

23 ГУМ – это Главный Универсальный Магазин России. Он расположен на Красной площади в Москве. Это большой трёхэтажный торговый комплекс под стеклянной крышей. Это не просто магазин, в котором можно купить практически всё, это ещё и памятник архитектуры, важная часть русской истории. Люди приходят сюда не только за покупками, а чтобы посидеть в кафе или ресторане, посетить художественную галерею. Ну а если вы потеряли ваших друзей в этом огромном магазине, то вы можете их легко найти в центре ГУМа у фонтана. Это традиционное место встречи москвичей и гостей столицы.

Гла́вный фаса́д ГУМа

Фонта́н в ГУМе

ЦУМ

24 ЦУМ – Центральный Универсальный Магазин – есть во многих крупных городах России. Как правило, это магазин доступных цен, который находится в центре города и пользуется популярностью среди населения. Исключением является ЦУМ в Москве. В столице это магазин для очень богатых людей.

Московский ЦУМ – крупнейший универмаг, в котором представлено более 1000 брендов модной одежды, парфюмерии и ювелирных украшений, а также гастроном, кафе, ресторан, шампань-бар «Вдова Клико». В рекламных кампаниях и других мероприятиях ЦУМа участвуют такие звёзды шоу-бизнеса и моды как Мила Йолович, Наоми Кэмпбэлл, Ролан Муре, Виктория Бекхэм и многие другие.

Московский ЦУМ в самом центре Москвы, в двух шагах от Большого театра.

Как по-русски? Find these words and phrases in the text and the photos. Change endings if necessary

Main universal shop.
Situated.
A three-storey shopping complex.
A glass roof.
Practically everything.
Russian history.
An art gallery.
A traditional meeting place.
Large cities.
Affordable prices.
Popularity.
An exception.
For rich people.
Fashionable clothes.
Stars of show business.
The best is in TsUM.

Вопросы к текстам

а. Что тако́е ГУМ?
б. Где нахо́дится ГУМ?
в. ГУМ – э́то то́лько магази́н?
г. Что мо́жно де́лать в ГУМе?
д. Где мо́жно встре́титься в ГУМе?
е. Что тако́е ЦУМ?
ж. В каки́х города́х есть ЦУМы?
з. Почему́ э́то популя́рный магази́н?
и. Как ЦУМ в Москве́ отлича́ется от ЦУМов в други́х города́х Росси́и?
к. Кто уча́ствует в рекла́мных кампа́ниях ЦУМа?

Разме́ры оде́жды и о́буви:

Размеры одежды:		Размеры обуви:	
Англия	Россия	Англия	Россия
10	42	3	36
12	44	4	37
14	46	5	38
16	48	6	39
18	50	7	40
20	52	8	41
22	54	9	42
24	56	10	43

Говори́те!

Како́й у вас разме́р оде́жды?
Како́й у вас разме́р о́буви?
Каки́е разме́ры у ва́ших друзе́й и́ли ро́дственников?

ЧИТАЙТЕ И ПИШИТЕ! УРОК 7

Доро́га в Томск

25 От Сама́ры до То́мска 3800 киломе́тров. По́езд идёт два дня. Он отправля́ется в 11.30 и прибыва́ет в Томск в 14.30 на тре́тий день пу́ти.

У Игоря был биле́т в четырёхме́стное купе́. Пе́рвые три часа́ он е́хал оди́н, но где́-то в Оренбу́ргской о́бласти по́езд останови́лся на полуста́нке, и вошла́ стару́шка лет семи́десяти с корзи́нкой и тремя́ паке́тами. Игорь помо́г ей внести́ паке́ты и уви́дел, что там каки́е-то расте́ния. Ба́бушка объясни́ла, что она е́дет к сыну в Омск и что у не́го там тепли́ца. Она́ ка́ждый год выра́щивает для сы́на помидо́ры, и в э́том году́ у неё но́вый сорт «Ро́зовый Гига́нт». В корзи́нке бы́ли проду́кты: я́йца, хлеб, колбаса́, компо́т в ба́нках. “Неуже́ли в Омске нет хле́ба?!”, – поду́мал Игорь.

Игорь объясни́л ба́бушке, что он е́дет в Томск, что́бы поговори́ть с председа́телем сове́та директоро́в целлюло́зной компа́нии о но́вой рабо́те в Байка́льске. Он та́кже хо́чет встре́титься со специали́стами хими́ческого факульте́та То́мского университе́та, а пото́м он пое́дет да́льше, в Байка́льск.

Ба́бушка сказа́ла, что целлюло́за – это, наве́рно, ва́жное де́ло. Она́ угости́ла Игоря солёными гриба́ми, а пото́м засну́ла. Игорь попро́бовал позвони́ть в Хаба́ровск ещё раз, но не́ было сигна́ла.

В Оренбу́рге вошла́ молода́я па́ра, кото́рая то́же е́хала в Томск. Все ещё раз пое́ли, немно́го поговори́ли и реши́ли ложи́ться спать. Игорь вы́шел в коридо́р, пока́ ба́бушка и па́ра устра́ивались. Молоды́е лю́ди легли́ на ве́рхние по́лки, а ба́бушка – на ни́жнюю. Игорь бы́стро помы́лся, пожа́ловался проводни́це, что туале́т гря́зный, поговори́л мину́т пять в коридо́ре с солда́том, кото́рый е́хал в Новосиби́рск на сва́дьбу ста́ршей сестры́, и то́же лёг спать.

СЛОВАРЬ

полуста́нок	small country station	целлюло́за	cellulose
стару́шка	old woman	угоща́ть / угости́ть	to offer (someone something)
лет семи́десяти	about 70 years old	солёный	salted
корзи́нка	basket	засыпать / засну́ть	to go to sleep
с тремя́	with three (instrumental of три)	сигна́л	signal
паке́т	packet	ложи́ться / лечь	to lie down
вноси́ть / внести́	to carry in	устра́иваться / устро́иться	to get organised
расте́ние	a plant	по́лка	shelf, bunk
тепли́ца	greenhouse	ве́рхний	upper
выра́щивать / вы́растить	to grow (a plant etc.)	ни́жний	lower
яйцо́	an egg	мы́ться / по-	to wash
компо́т	stewed fruit	гря́зный	dirty
председа́тель сове́та	chairman of the board	мину́т пять	about five minutes
целлюло́зный	cellulose (adj.)	ста́рший	elder
хими́ческий	chemical		

Вопро́сы к те́ксту

а. Как вы ду́маете, по́езд из Сама́ры в Томск идёт бы́стро?
б. Кто е́хал с Игорем в купе́?
в. Куда́ е́хала ба́бушка?
г. Почему́ Игорь не мог поговори́ть с дру́гом в Хаба́ровске?
д. Что ду́мала ба́бушка о рабо́те Игоря?
е. Куда́ е́хала молода́я па́ра?
ж. С кем ещё поговори́л Игорь?

Соста́вьте и разыгра́йте диало́ги

а. Игорь и ба́бушка в купе́.
б. Игорь и солда́т в коридо́ре.

Солёные грибы́

Помидо́р «Ро́зовый Гига́нт»

Переведи́те на ру́сский язы́к!

1. There are four bunks in the compartment.
2. The old lady was carrying a basket and three packets.
3. Why do you have plants in the packets?
4. "Pink Giant" is a very large tomato.
5. The old lady's son has a greenhouse.
6. Igor explained to the old lady why he was travelling to Tomsk.
7. The old lady did not want to sleep on the top bunk.
8. Igor's mobile phone was not working.
9. Igor and the soldier talked for a bit in the corridor.
10. Why are you going to Novosibirsk?

Translation hint:

5. Start the sentence with у plus the genitive.

ИНФОРМАЦИЯ УРОК 7

Русская дача

26 Для жителей русских городов дача – это очень важное понятие. В крупных городах люди в основном живут в квартирах без сада или огорода. Поэтому все хотят иметь домик и землю за городом и ездить туда в выходные дни, особенно летом. Это и есть дача.

Дача может находиться далеко от города. Люди ездят на дачу на электричке, на автобусе или на машине. Очень часто в пятницу и в воскресенье бывают пробки на дорогах около крупных городов – люди едут на дачу или возвращаются домой.

На даче выращивают овощи, фрукты, ягоды и цветы. Очень сильна в России традиция хранить продукты своего огорода на зиму.

Раньше рабочие получали право на дачу через организации, где они работали. Были дачные кооперативы для учителей, для врачей, для строителей и т.д. Сегодня можно купить дачу на открытом рынке.

На даче может не быть электричества или водопровода. Часто туалет находится на улице. Дороги в дачных районах не всегда хорошего качества. Люди редко ездят на дачу зимой.

Как по-русски? - Find these words and phrases in the text. Change endings as necessary.

City inhabitants.
An important notion.
Without a vegetable garden.
Outside town.
Days off work.
Traffic jams on the roads.
(People) grow vegetables.
To preserve produce for the winter.
The right to a dacha.
The open market.
A water supply.
Outside.
Of good quality.

Упражне́ние. Посмотри́те фотогра́фии на страни́це 31. Найди́те пра́вильные по́дписи.

а. В пя́тницу ве́чером. Доро́га на да́чу.
б. Маши́ны нет. Ве́ра Петро́вна с сы́ном е́здят на да́чу на электри́чке, а от ста́нции хо́дят пешко́м.
в. Анна собира́ет огурцы́.
г. Да́ча со ста́рым забо́ром.
д. Ягоды – сморо́дина и мали́на.
е. Серге́й прие́хал на но́вой Тойо́те.
ж. Обе́д на да́че.
з. Авто́бус хо́дит ре́дко.

1

2

3

ГРАФИК
РАБОТЫ СЛУЖЕБНОГО АВТОБУСА
ОТ Д/О „ЛЕСНОЕ"
ОТ СТ. „ДОМОДЕДОВО"
7 00 ч.
7 40 ч.
8 10 ч. ДО ДЕРЕВНЕ ЗАБОРЬЕ ШКОЛА
17 15 ч.
17 40 ч.
ПО ПЯТНИЦАМ 16 30 ч. ПО ПЯТНИЦАМ
17 00 ч.

4

5

6

7

8

У Игоря укра́ли су́мку

27 По́езд при́был в То́мск по расписа́нию.

– Во́время прие́хали, – пошути́л Игорь с проводни́цей.
– А мы никогда́ не опа́здываем, – стро́го отве́тила она́.

Игорь чу́вствовал себя́ уста́лым: он всегда́ пло́хо спал в по́езде. В То́мске у него́ не́ было ни ро́дственников, ни знако́мых, поэ́тому ему́ пришло́сь останови́ться в гости́нице. Пе́ред отъе́здом он посмотре́л в Интерне́те гости́ницы в То́мске и вы́брал «Октя́брьскую». Он заброни́ровал одноме́стный но́мер с ви́дом на ре́ку Томь.

Игорь взял такси́ и за две́сти рубле́й дое́хал до гости́ницы. Там он зарегистри́ровался у администра́тора, показа́л докуме́нты, оплати́л счёт и получи́л ключ и про́пуск. Около ли́фта стоя́ла пожила́я да́ма с двумя́ огро́мными чемода́нами. Да́ма посто́янно нажима́ла на кно́пку, но лифт не рабо́тал.

– Мужчи́на, лифт не рабо́тает, – сказа́ла она́ Игорю серди́тым го́лосом.
– Ага́! Это наве́рное убо́рщицы де́ржат две́ри. Я пешко́м пойду́. Вам на како́й эта́ж?
– На шесто́й.
– Мне то́же. Чемода́н и су́мку оста́влю здесь.

Игорь стал поднима́ться по ле́стнице. На четвёртом этаже́ сиде́ли убо́рщицы о́коло откры́того ли́фта.

– Де́вушки, в чём дело́?
– Извини́те, молодо́й челове́к. Сейча́с закро́ем.
– Я вам не молодо́й челове́к и по ле́стницам бе́гать не люблю́!

Игорь спусти́лся на пе́рвый эта́ж. Там ждала́ же́нщина с чемода́нами. Ря́дом стоя́л чемода́н Игоря, но его́ су́мки не́ было.

– А где моя́ су́мка?
– Её взяла́ ва́ша жена́.
– Что? У меня́ нет жены́! Куда́ она́ пошла́?
– К вы́ходу. Она́ сказа́ла, что сейча́с придёт.

Игорь побежа́л к вы́ходу, но его́ «жена́» исче́зла. Вот беда́! Что же де́лать?! Игорь подошёл к телефо́ну и набра́л 02.

СЛОВАРЬ

красть / у-	to steal	кно́пка	button
прибыва́ть / прибы́ть	to arrive (trains etc.)	серди́тый	angry
(note the stress: по́езд при́был)		убо́рщица	cleaner
во́время	on time	держа́ть (imp.)	to hold
шути́ть / по-	to joke	спуска́ться / спусти́ться	to go down
стро́го	strictly	пе́рвый эта́ж	ground floor
ему́ пришло́сь	he had to	исчеза́ть / исче́знуть	to disappear
брони́ровать / за-	to book	(past perfective: он исче́з etc.)	
регистри́роваться / за-	to register	беда́	trouble
пожило́й	elderly	набира́ть / набра́ть	to dial

Вопро́сы к те́ксту

а. По́езд опозда́л в Томск?
б. Проводни́це понра́вилась шу́тка Игоря?
в. Почему́ Игорь уста́л?
г. Почему́ Игорь останови́лся в гости́нице?
д. Как вы ду́маете, почему́ он вы́брал гости́ницу «Октя́брьская»
(смотри́те страни́цу 34.)
е. Почему́ лифт не рабо́тал?
ж. Кто взял су́мку Игоря?
з. Как вы ду́маете, заче́м Игорь набра́л 02?

Соста́вьте и разыгра́йте диало́г

а. Игорь звони́т в поли́цию. Он объясня́ет, что́ случи́лось и про́сит поли́цию прие́хать как мо́жно быстре́е.

Томск. Железнодоро́жный вокза́л в 1904-ом году́ и сего́дня

Переведи́те на ру́сский язы́к!

1. The train was not late.
2. The (female) conductor did not want to have a joke.
3. Igor decided to stay in a hotel.
4. The taxi to the hotel cost two hundred roubles.
5. An elderly lady was waiting by the lift.
6. Igor went to find out why the lift was not working.
7. Igor doesn't like running.
8. When he came down to the ground floor his bag was not there.
9. The elderly lady said that Igor's wife had taken the bag.
10. Igor doesn't have a wife.

Translation hint:

4. Remember that такси is neuter.

28 **Гостиница «Октябрьская» в Томске**

Гостиница «Октябрьская» – одна из лучших трёхзвёздочных гостиниц Томска. Она находится в деловом, культурном и историческом центре города, но в то же время в стороне от интенсивного транспортного потока. С верхних этажей открывается великолепная панорама города Томска с храмами и памятниками архитектуры. С другой стороны окна гостиницы выходят на реку Томь и бескрайние сибирские просторы.

В семиэтажном здании вас ждут сорок восемь номеров разных категорий: «люкс», двухместный и одноместный стандартный. В номерах удобная мебель европейского качества, кабельное телевидение, прямая городская и международная связь, Интернет, холодильник, в ванной комнате – фен.

К услугам гостей уютное кафе и банкетный зал, индивидуальный сейф и парковка, бизнес-центр и конференц-зал на двадцать человек, парикмахерская и сауна. Внимательный персонал поможет вам вызвать такси или заказать экскурсию по городу.

29 **Гостиница «Империал» в Томске**

Дорогие гости города Томска! Добро пожаловать в гостиницу «Империал»!

Гостиница расположена на тихой улице вдали от городского шума. Это прекрасное место для отдыха и торжественных событий в вашей жизни. Деловым людям понравится спокойная атмосфера и удобные залы для проведения различных встреч и переговоров.

В нашей мини-гостинице семь комфортабельных номеров различной категории: люкс, полулюкс и VIP. В каждом номере красивая дорогая мебель, кондиционер, телефон и холодильник. В трёх номерах есть джакузи.

В ресторане гостиницы есть банкетный и обеденные залы. Дворцовый стиль их интерьера поможет создать праздничную и торжественную атмосферу. Повар высшей категории предложит вам эксклюзивные блюда русской, кавказской и европейской кухни.

К услугам наших гостей сауна, бассейн, джакузи, косметический и общий массаж. Для любителей поиграть в бильярд в гостинице имеется бильярдный зал с удобной кожаной мебелью.

Дополнительные услуги: конференц-зал, тёплый гараж, прачечная. Оплатить услуги гостиницы можно как наличными, так и кредитными картами.

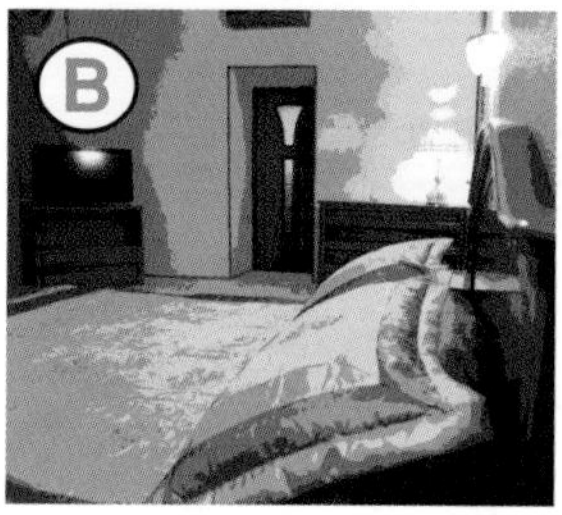

Зада́ния

1. **Кака́я фотогра́фия отно́сится к како́й гости́нице?**
2. **Сравни́те две гости́ницы и скажи́те:**

а. Кака́я гости́ница бо́льше, кака́я ме́ньше?
б. Кака́я из двух гости́ниц бо́лее но́вая/ста́рая?
в. Интерье́р како́й гости́ницы бо́лее совреме́нный?
г. Кака́я гости́ница располо́жена бли́же/да́льше от це́нтра го́рода?
д. Кака́я гости́ница, по-ва́шему, бо́лее дорога́я?

3. **Каку́ю гости́ницу вы порекоменду́ете:**

а. тури́сту, кото́рый хо́чет посмотре́ть музе́и и па́мятники го́рода?
б. бизнесме́ну, кото́рому ну́жно встре́титься с небольшо́й гру́ппой но́вых делов́ых партнёров из Ара́вии и Кита́я?
в. инжене́ру в командиро́вке? Ка́ждый день он до́лжен е́здить на заво́д, где рабо́тают его́ колле́ги.
г. сва́дебной па́ре, кото́рая хо́чет провести́ бра́чную ночь в романти́чной гости́нице?
д. организа́тору семина́ра для бизнесме́нов из десяти́ стран Евро́пы.

А где про́бка?

Ру́сские умыва́ются под прото́чной водо́й. Поэ́тому в традицио́нных ру́сских гости́ницах ча́сто нет про́бок для ра́ковин. Попро́буйте попроси́ть про́бку у дежу́рной, а лу́чше привези́те с собо́й в чемода́не!

Соста́вьте и разыгра́йте диало́г

Иностра́нец и дежу́рная в гости́нице. Иностра́нец про́сит про́бку для ра́ковины. Дежу́рная не понима́ет, почему́ иностра́нцу нужна́ про́бка. Она́ ду́мает, что он хо́чет постира́ть оде́жду. Она́ говори́т, что в гости́нице есть пра́чечная. Иностра́нец объясня́ет, что он хо́чет умы́ться и побри́ться. Дежу́рная не понима́ет пробле́му и говори́т, что про́бок нет!

Игорь и полице́йский

30 Поли́ция прие́хала дово́льно бы́стро. Уже́ че́рез полчаса́ молодо́й офице́р с ры́жими волоса́ми задава́л Игорю вопро́сы.

Игорь описа́л су́мку. Это была́ дово́льно больша́я ко́жаная су́мка, чёрного цве́та с ярлыко́м «Авиа Томск». В су́мке был лэпто́п, мышь и заря́дное устро́йство. Там та́кже бы́ли руба́шка, брю́ки и кроссо́вки, кото́рые Игорь купи́л позавчера́ в ЦУМе в Сама́ре, и две па́ры носко́в. Там ещё бы́ли две кни́ги, автомоби́льный журна́л, кни́жка с кроссво́рдами и, коне́чно, контра́кт с фи́рмой в Сама́ре о перево́зке гру́зов.

К сча́стью, Игорь всегда́ держа́л па́спорт, де́ньги и моби́льник в карма́не. Пото́м он, пра́вда, вспо́мнил, что заря́дное устро́йство для моби́льника то́же бы́ло в су́мке.

На вопро́сы полице́йского о том, как вы́глядит его́ жена́ и как её и́мя и о́тчество, Игорь рассерди́лся.
– Това́рищ офице́р, вы не по́няли: у меня́ нет жены́. Кака́я-то да́ма вошла́, сказа́ла э́той гражда́нке, что она́ моя́ жена́, взяла́ мою́ су́мку и убежа́ла.
– Гммм. А как она́ вы́глядит?
– Това́рищ офице́р, я не зна́ю, как она́ вы́глядит. Если бы я её ви́дел, она́ бы су́мку не взяла́. Вам на́до поговори́ть с э́той гражда́нкой.

Пожила́я же́нщина сказа́ла, что воро́вка была́ блонди́нка, пото́м переду́мала, и сказа́ла, что, скоре́е, брюне́тка и́ли, мо́жет быть, ры́жая. На ней была́ жёлтая ку́ртка и́ли, мо́жет быть, кра́сная. Она́ была́ невысо́кого ро́ста. У неё не́ было осо́бых приме́т.

Администра́тор то́же не могла́ помо́чь. Она́ никого́ не ви́дела.

Полице́йский записа́л ли́чные да́нные Игоря. Игорь поблагодари́л его́ и пошёл в но́мер. Он по́нял, что не уви́дит бо́льше свою́ люби́мую су́мку. Уже́ бы́ло по́здно, и рестора́н был закры́т. Игорь купи́л в ба́ре бутербро́д с сы́ром, пошёл в но́мер и лёг спать.

СЛОВАРЬ

ры́жий	ginger (of hair only)
ко́жаный	leather (adj.)
мышь (f.)	mouse
заря́дное устро́йство	charger
карма́н	pocket
серди́ться / рас-	to be / get angry
гражда́нка	citizen (f.)
воро́вка	thief (f.)
ку́ртка	jacket
осо́бая приме́та	particular (distinguishing) feature

Вопро́сы к те́ксту

а. Чере́з ско́лько мину́т прие́хала поли́ция?
б. Игорь потеря́л па́спорт и де́ньги?
в. Почему́ Игорь рассерди́лся?
г. Пожила́я же́нщина хорошо́ описа́ла во́ра?
д. Администра́тор гостини́цы ви́дела во́ра?
е. Где Игорь поу́жинал?

Соста́вьте и разыгра́йте диало́ги

а. Полице́йский и Игорь.
б. Полице́йский и пожила́я же́нщина.
в. Полице́йский и администра́тор гости́ницы.

Переведи́те на ру́сский язы́к!

1. The policeman had ginger hair.
2. He asked Igor a lot of questions.
3. Igor had a lot of things in his bag.
4. He was glad that his passport and money were in his pocket.
5. The policeman did not understand that Igor did not have a wife.
6. Igor did not know what the woman looks like because he had not seen her.
7. The elderly lady had seen the (female) thief, but could not remember what she looks like.
8. The hotel administrator had seen no one.
9. Igor gave the policeman his personal details and thanked him.
10. Do you think he will sleep well tonight?

Translation hints:

3. “his” should be left out. We know the bag is his!
9. Here “his” could refer to someone else. Use свой so that it is unambiguous.

Булат Юнусов - инспектор ГИБДД

31 Меня зовут Булат Юнусов, я работаю инспектором ГИБДД в городе Казань. ГИБДД – это Государственная Инспекция Безопасности Дорожного Движения. До 1998-го года Инспекция называлась ГАИ, Государственная Автомобильная Инспекция. ГИБДД – одна из структур Министерства Внутренних Дел России (МВД).

Офице́р ГИБДД

Мне двадцать пять лет, я мечтал работать в полиции с детства. Тогда она называлась милицией, и образ милиционера в советское время считался очень романтичным. В марте 2011-го года в России провели реформу МВД и милицию переименовали в полицию.

Я учился в Казанской Юридической Академии, которую закончил с отличием четыре года назад, и после окончания учёбы получил работу в ГИБДД. Я работаю уже четыре года. Мои обязанности – следить за соблюдением дисциплины среди сотрудников Инспекции.

Мой рабочий день начинется в восемь тридцать утра и до половины первого я просматриваю информацию, проверяю сообщения, опрашиваю заявителей, свидетелей и сотрудников ГИБДД, составляю протоколы и, если дело серьёзное, передаю его высшим органам. После обеда, с двух до шести я продолжаю делать ту же работу, что и до обеда.

Я провожу весь день в офисе за рабочим столом с документами. А для моей профессии ещё очень важно быть в хорошей физической форме. Поэтому три раза в неделю я обязательно посещаю спортзал.

Существует мнение, что уровень коррупции в полиции в России очень высокий. Коррупция есть, но мы бо́ремся с ней. Тех, кто берёт взятки, мы сразу увольняем. Я с оптимизмом смотрю на будущее нашей службы.

Как по-русски?

Find these words and phrases in the text. Change endings as necessary

An inspector.	With a distinction.	The level of corruption.
A structure.	The observance of discipline.	We are fighting.
To dream (of doing something).	Until half past twelve.	Bribes.
The image of a policeman.	To question witnesses.	We dismiss.
A reform.	Higher bodies.	The future of our service.
To rename.	Good physical condition.	

Вопро́сы к те́ксту

а. Отку́да Була́т Юну́сов?
б. Каки́м был о́браз милиционе́ра в сове́тское вре́мя?
в. Как называ́ется мили́ция сего́дня?
г. Була́т контроли́рует у́личное движе́ние?
д. Ско́лько вре́мени у Була́та на обе́д?
е. Почему́ он посеща́ет спортза́л?
ж. Как отно́сится Була́т к бу́дущему ГИБДД?

Зада́ния

а. Ду́маете ли вы, что Була́т Юну́сов хоро́ший полице́йский?
б. Почему́ вы так ду́маете?

Здра́вствуйте, господи́н офице́р!

Если вы ведёте маши́ну в Росси́и и вас остана́вливает офице́р ГИБДД, то он до́лжен поздоро́ваться с ва́ми, приложи́ть ру́ку к головно́му убо́ру, назва́ть своё зва́ние и фами́лию, пото́м сказа́ть, почему́ он вас останови́л. Полице́йский до́лжен носи́ть фо́рму и име́ть удостовере́ние. Попроси́те показа́ть вам удостовере́ние. Запиши́те фами́лию и но́мер удостовере́ния полице́йского. Держи́те себя́ споко́йно и уве́ренно, не торопи́тесь.

Слова́рь

вести́ маши́ну	to be driving a car	зва́ние	rank
приложи́ть ру́ку к	to touch (here as in a casual salute)	фо́рма	uniform
головно́й убо́р	headgear (fur hat in winter, cap in summer)	удостовере́ние	identity paper
		торопи́ться (imp.)	to hurry

Соста́вьте и разыгра́йте диалог!

Води́тель маши́ны и полице́йский

Полице́йский остана́вливает маши́ну, здоро́вается с води́телем (иностра́нцем) и называ́ет своё зва́ние и фами́лию (наприме́р, ста́рший лейтена́нт Серге́ев / Серге́ева). Иностра́нец то́же здоро́вается. Полице́йский спра́шивает, отку́да иностра́нец и ку́да он е́дет, спра́шивает его́ фами́лию и и́мя и про́сит показа́ть докуме́нты на маши́ну. Иностра́нец про́сит посмотре́ть удостовере́ние полице́йского. Иностра́нец запи́сывает фами́лию и но́мер удостовере́ния полице́йского. Иностра́нец даёт полице́йскому докуме́нты на маши́ну и спра́шивает, почему́ он/она́ его́ останови́л/а. Полице́йский говори́т, что э́то обы́чная прове́рка докуме́нтов. Он/она́ проверя́ет докуме́нты, возвраща́ет их иностра́нцу и жела́ет ему́ «Счастли́вого пути́!»

Слова́рь

ста́рший	senior, elder	проверя́ть (imp.)	to check
прове́рка	a check	Счастли́вого пути́!	Have a good journey!

10 ноября́ в Росси́и отмеча́ется День Поли́ции!

ЧИТАЙТЕ И ПИШИТЕ! УРОК 10

Но́вая рабо́та

32 Игорь не мог засну́ть. Он ду́мал о су́мке и о контра́кте, кото́рый он потеря́л. Он вспо́мнил, что в су́мке та́кже была́ кни́жка, в кото́рой он записа́л паро́ль для Интерне́та и пин креди́тной ка́рты. На́до позвони́ть в банк и всё заблоки́ровать. Пото́м он вспо́мнил о моби́льнике. За́втра на́до бу́дет купи́ть но́вое заря́дное устро́йство.

В два часа́ но́чи в сосе́днем но́мере всё ещё смотре́ли футбо́л по телеви́зору. Бы́ло о́чень гро́мко – игра́ли Моско́вский «Спарта́к» и «Локомоти́в». Когда́ счёт был 2 : 1 в по́льзу «Спартака́», Игорь наконе́ц засну́л.

Встре́ча с председа́телем сове́та директоро́в целлюло́зной компа́нии была́ на сле́дующий день. Утром Игорь посмотре́л на себя́ в зе́ркало и поду́мал, что лу́чше бы туда́ не ходи́ть. Но он пошёл и в де́сять часо́в сиде́л в кабине́те председа́теля. Тот, ка́жется, у́же реши́л взять Игоря на рабо́ту. «Наве́рное, други́х кандида́тов не́ было», – поду́мал Игорь.

Председа́тель объясни́л, что ну́жен челове́к, кото́рый смо́жет одновреме́нно руководи́ть промы́шленным проце́ссом, забо́титься о рабо́чих и подде́рживать связь с ме́стными журнали́стами. Игорь отве́тил, что бу́дет ну́жен дире́ктор по марке́тингу. Председа́тель согласи́лся. Пото́м они́ бы́стро реши́ли вопро́с о зарпла́те, и Игорь подписа́л контра́кт на три го́да.

– Не потеря́йте контра́кт! – пошути́л председа́тель
«Отку́да он узна́л о су́мке?», – поду́мал Игорь.

Игорь вы́шел на у́лицу и пошёл купи́ть заря́дное устро́йство для моби́льника. На́до бу́дет позвони́ть сы́ну и Людми́ле, а ещё на́до бу́дет позвони́ть дру́гу в Хаба́ровск. Тепе́рь Игорю не нужна́ поде́ржанная маши́на. С тако́й зарпла́той он смо́жет купи́ть но́вый БМВ!

СЛОВАРЬ

паро́ль (m.)	password
пин	pin number
блоки́ровать / за-	to block
сосе́дний	neighbouring, next
гро́мко	loud
зе́ркало	mirror
одновреме́нно	at the same time
руководи́ть (+ instr.)	to supervise
промы́шленный	industrial
забо́титься о	take care of
рабо́чий	worker
подде́рживать (imp.)	to support
связь (f.)	connection, contact
ме́стный	local
поде́ржанный	used, second hand

Вопро́сы к те́ксту

а. Почему́ Игорь не мог засну́ть?
б. Почему́ ему́ на́до позвони́ть в банк?
в. Встре́ча с председа́телем была́ уда́чной?
г. Ско́лько вре́мени Игорь бу́дет рабо́тать в Байка́льске?
д. Как вы ду́маете, как председа́тель узна́л о поте́рянной су́мке?
е. Почему́ Игорю бо́льше не нужна́ япо́нская маши́на?

Соста́вьте и разыгра́йте диало́ги

а. Телефо́нный разгово́р Игоря с Людми́лой о но́вой рабо́те.
б. Телефо́нный разгово́р Игоря с Русла́ном.
в. Телефо́нный разгово́р Игоря с дру́гом в Хаба́ровске о но́вой рабо́те и о маши́не.

Переведи́те на ру́сский язы́к!

1. It is difficult to fall asleep when you are thinking about your problems.
2. The other guests were watching television.
3. The next day Igor will have an important meeting.
4. The chairman of the cellulose company was waiting in his office.
5. Perhaps there was only one candidate.
6. The chairman agreed that a director of marketing would be needed.
7. Who had told the chairman about the problem in the hotel?
8. Perhaps he has friends in the police.
9. Why does Igor need a charger for his mobile phone?
10. Why doesn't he need a second-hand car?

Translation hint:

1. “when you are thinking”. Use the ты form of the verb.

Роза Насырова - тележурналист

33 Меня зовут Роза, я работаю журналистом на телевидении в городе Казань. Казань – столица республики Татарстан, крупный город на Волге.

Ро́за Насы́рова

Моё место работы – телекомпания ТНВ. Я редактор детских программ на русском и на тартарском языках. На нашем канале три детских программы: для самых маленьких, для школьников и для подростков. Каждая из этих программ выходит раз в неделю.

Я планирую каждый выпуск, даю задания корреспондентам, договариваюсь о видеосъемках, беру интервью у известных людей, а также пишу тексты для наших программ.

После того, как материал сняли, я отдаю кассеты режиссёру, который монтирует его на компьютере. Корреспондент записывает свой текст, я прошу звукорежиссёра подготовить музыку, и мы готовим программу к показу. Когда материал готов, я отдаю его шеф-редактору на проверку. Затем его показывают по телевизору.

Я получаю 30 тысяч рублей в месяц, это средняя зарплата жителя Казани. Я очень люблю свою работу, потому что мне нравится общаться, особенно с молодыми людьми.

Ро́за и Али́са

У меня есть муж и маленькая дочка, Алиса. Всё свободное время я посвящаю семье. Может быть, в будущем Алиса станет редактором на телевидении! Я часто беру её к себе на работу.

Летом мы сделаем интересную передачу для подростков. Мы будем снимать реалити-шоу! Съемки будут проходить в летнем лагере для юных экологов недалеко от Казани. Ребята будут изучать влияние химической промышленности города на окружающую среду и отредактируют свою программу по этой теме.

Я надеюсь, что благодаря этой работе наш город станет чище.

Зада́ния

а. Узна́йте, что тако́е ТНВ.
б. Ду́маете ли вы, что Ро́за Насы́рова хоро́ший журнали́ст? Почему́ вы так ду́маете?
в. Соста́вьте рекла́му для програ́ммы, кото́рую Ро́за сде́лает ле́том.

Как по-русски?
Find these phrases in the text. Change endings if necessary.
Three children's programmes.
For teenagers.
Once a week.
Interviews.
We prepare the programme for broadcasting.
Average salary.
I devote my spare time to my family.
Young ecologists.
The chemical industry of the city.
The environment.
They will edit their own programme.
Our city will become cleaner.

Политический журналист в России
Работа политического журналиста в России часто связана с высоким риском. За последние годы были убиты несколько известных журналистов, в том числе Анна Политковская и Владислав Листьев, которые боролись с коррупцией. Их убийства до сих пор (2012) остаются нераскрытыми.

Банки в Российской Федерации

34

Сбербанк России – самый крупный банк на территории Российской Федерации. Он был основан в 1841-ом году императором Николаем I. Минимальный размер вклада тогда составлял 50 копеек, а максимальный – 300 рублей.

Сейчас Сбербанк является главным кредитором Российской экономики.
К концу 2010-го года 48% всех сбережений граждан России лежали в Сбербанке.

В России также есть другие российские и иностранные банки, такие как Юникредит банк, Ситибанк, Дойче банк и другие.

Банковские карточки становятся всё более популярными в России. Однако в повседневной жизни люди всё ещё широко пользуются наличными деньгами. Люди не имеют чековых книжек. Если вы хотите послать деньги кому-нибудь в России, можно пойти на почту и оформить денежный перевод.

РУССКО-АНГЛИЙСКИЙ СЛОВАРЬ

This is a list of words from the Ruslan 2 Reader that are not in the dictionary in the Ruslan 2 Course Book. By this stage, however, learners should be using their own pocket or online dictionary, and you will probably need one for the English to Russian translation exercises in this book. Where verbs are in their aspect pairs, the imperfective is given first. Where words have several meanings, the meaning used in this book is given.

автодорога	major road
автомобильный	automobile (adj.)
административный	administrative
Азербайджан	Azerbaijan
акция	action (by government etc.)
антивирус	antivirus
антисемит	anti-Semite
Аравия	Arabia
артрит	arthritis
архитектурный	architectural
астма	asthma
банкетный	banqueting (adj.)
банковский	bank (adj.)
баня	bathhouse
беда	trouble, misfortune
беседа	conversation, interview
бескрайний	boundless
бильярд	billiards
благодаря (+ dat.)	thanks to, owing to
бледность (f.)	paleness
ближе к (+ dat.)	closer to
блокировать / за-	to block, to stop
болельщик	fan (sport etc.)
больничный лист	sick note
большинство	majority
бороться	to fight
бояться	to be afraid of
брачный	marriage (adj.)
бренд	brand (of product)
бритоголовый	skinhead
бриться / по-	to shave (oneself)
бронировать / за-	to book
бронхит	bronchitis
брюки	trousers
будущее	the future
вакансия	vacancy
вариться	to be cooking
введён	introduced
вдова	widow
великолепный	magnificent, splendid
верхний	upper
вес	weight
вести машину (imp.)	to be driving a car
ветчина	ham
взятка	a bribe
видеосъёмка	film shoot
вклад	deposit, investment
внимательный	attentive, thoughtful
внутренний	inner
вносить / внести	to carry in
вовремя	on time
водопровод	water supply
возможный	possible
воровка	female thief

воспитывать (imp.)	to bring up, to educate
вперёд	forwards, in advance
вредно	harmful
всевозможный	every possible
всего	only, in all
всё-таки	all the same
вспоминать / вспомнить	to remember
встречать / встретить	to meet (someone)
вызвать такси (perf.)	to call a taxi
выполнять / выполнить	to perform (a role)
выращивать / вырастить	to grow (a plant, etc.)
высший	top, higher
галерея	gallery
гастарбайтер	migrant worker
гастроном	food store
гетеросексуальный	heterosexual
гимн	hymn
головной убор	headgear
головокружение	dizziness, vertigo
гомофобия	homophobia
гомосексуализм	homosexuality
гомосексуальность (f.)	homosexuality (see note page 7)
гомосексуальный	homosexual
гордиться	to be proud of
городской	city (adj.)
гостеприимный	hospitable
готовый	ready
гражданка	citizen (f.)
гражданский	civil
громко	loudly
груз	a cargo
грузовик	lorry
грузовой	cargo (adj.)
группировка	grouping
грязный	dirty
дачный	dacha (adj.)
дворцовый	like a palace
двоюродный брат	cousin (m.)
двухкомнатный	two-room (adj.)
деловой	business (adj.)
денежный	financial
держать (imp.)	to hold, to keep
детство	childhood
деятель (m.)	activist, official
джакузи	jacuzzi
диабет	diabetes
диагноз	diagnosis
диагностический	diagnostic
дисциплина	discipline
Добро пожаловать!	Welcome!
договариваться / договориться	to agree
домик	small house
дополнительный	additional, extra

доставка	delivery
доступный	affordable, achievable
Евросоюз	European Union
ежедневно	every day, daily
желать / по-	to wish
жертва	victim
журналистика	journalism
жетон	a token
забирать / забрать	to collect
забор	a fence, garden wall
заботиться о (imp.)	to take care of, to look after
заведующий	head, leader
загорать (imp.)	to sunbathe
задание	task, assignment
заключить (perf.)	to secure
запрещать (imp.)	to prohibit
заражаться / заразиться	to be infected
зарядное устройство	charger
засыпать / заснуть	to fall asleep
заявитель (m.)	applicant
звание	rank
звезда	a star
звонок	a phone call
звукорежиссёр	sound producer
зеркало	a mirror
значительно	significantly
зонт	umbrella
зуд	an itch
из-за (+ gen.)	because of
имейл	email
император	emperor
индивидуальный	individual, separate
иномарка	foreign car
инспектор	inspector
инспекция	inspection
институт	institution
инсульт	stroke (medic.)
интенсивный	intensive
интервью	interview
интерьер	interior
инфекция	infection
ипохондрик	hypochondriac
исключение	exception
использовать (imp.)	to use
исполнение	performance
испортить (perf.)	to ruin
исчезать / исчезнуть	to disappear
кабельный	cable (adj.)
кавказский	from the Caucasus
казанский	of Kazan
камера хранения	left luggage office
кампания	campaign
категория	category
кашель (m.)	cough
капитальный ремонт	major renovation
капуста	cabbage
карман	pocket
киевляне	citizens of Kiev
книжка	booklet
кнопка	button
кожаный	leather (adj.)
колокольчик	a little bell
компот	stewed fruit
консультировать (imp.)	to consult
контракт	contract
конференц-зал	conference hall
копейка	kopeck
корзинка	a small basket
корреспондент	a correspondent
коррупция	corruption
косметический	cosmetic
красть / украсть	to steal
кредитор	creditor, lender
кризис	crisis
кроссворд	crossword
кроссовки	track shoes
крупнейший	very large
крыло́	a wing
кры́лья	wings
крытый	covered
крыша	roof
кукурузные хлопья	cornflakes
куртка	jacket
ксенофоб	xenophobe
кстати	in fact, by the way
лагерь (m.)	camp
лазерный	laser (adj.)
лежать	to lie, be located
летний	summer (adj.)
лечебное средство	remedy
ложиться / лечь спать	to go to bed
лозунг	slogan
личный	personal
любитель (m.)	person who likes smth.
любоваться / по-	to admire
люкс	luxury
малина	raspberry
массаж	massage
медленный	slow
мероприятие	action, function
местный	local
мигрант	migrant
мигрень (f.)	migraine
минимальный	minimum (adj.)
министерство	ministry
Министерство Внутренних Дел (МВД)	Ministry of Internal Affairs
младше	younger (adv.)
мобильный	mobile phone
модель (f.)	model (of car)
модернизация	modernisation
мусор	litter, rubbish
мыться / по-	to wash (oneself)
мышечный	muscle (adj.)
мышь (f.)	mouse
мясной	meat (adj.)
набирать / набрать	to dial (a number)
надёжный	reliable

нанотехнология	nanotechnology
наличные (деньги)	cash
нападение	attack
напасть на	to attack
на пять	with five (top marks)
национальность (f.)	nationality
недовольный	dissatisfied, displeased
нелегко	not easy
немыслимо	unthinkable
нераскрытый	unsolved
несмотря на	despite
нетерпение	impatience
нижний	lower
обеденный	dinner (adj.)
обещать / по-	to promise
оборудование	equipment
обстановка	situation
общаться / по-	to communicate, socialise
общий	general
объём	volume
объявлять / объявить	to announce, to declare
(он) обязан	(he) must
обязанность (f.)	responsibility
обязательно	without fail
огурец	cucumber
одновременно	at the same time
озноб	fever
окончание	ending, finishing (school)
окончить	to finish (school)
окружающая среда	the environment
опрашивать (imp.)	to question (someone)
оптимизм	optimism
опыт	experience
óрган	organ (part of body or of an organisation)
организатор	organiser
ориентация	orientation
особая примета	distinctive feature
особенно	especially
оставаться / остаться	to remain
оставлять / оставить	to leave (smth. behind)
останавливать / остановить	to stop (somebody or something)
отёк	swelling
отказываться / отказаться	to refuse
отличаться от (imp.)	to differ from
отличие	distinction
отмечаться	to be celebrated
относиться к (imp.)	to refer to to treat, regard
отношение	attitude
отредактировать (perf.)	to edit
отрицательный	negative
панорама	panorama
пара	pair, couple
парикмахерская	hairdressing salon
пароль (m.)	password
парковаться (imp.)	to park a car
партийный	party (adj.)
партнёр	partner
педиатр	paediatrician
педиатрический	paediatric
пенсия	pension
первым делом	first of all
перевод	translation, transfer
переводить / перевести	to translate, interpret
перевозка	transportation
передавать (imp.)	to pass on
передача	transmission, broadcast
переехать (perf.)	to move house
переименовать (perf.)	to rename
перекрёсток	crossroads
пин	pin number
пища	food
по (+acc.)	until
повар	cook, chef
повседневный	everyday (adj.)
подготовить (perf.)	to prepare
поддерживать (imp.)	to support
поддержка	support
подержанный	used, second hand
подобный	similar
подпись (f.)	caption; signature
подросток	a youth
подсесть к (perf.)	to sit down next to
подписаться (perf.)	to subscribe
подписывать / подписать	to sign
позавчера	the day before yesterday
поздравлять / поздравить	to congratulate
позже	later
пожилой	elderly
покой	peace and quiet
покраснение	redness
покрытие	coverage
полка	shelf, bunk
полночь (f.)	midnight
положение	status, position
полустанок	small country station
польский	Polish
понос	diarrhoea
понятие	notion
по-прежнему	as before
популяризировать (imp.)	to popularise
популярный	popular
посвящать / посвятить	to dedicate
посещать / посетить	to visit, attend
поток	a flow
почта	post, post office
почти	almost, nearly
появляться / появиться	to appear
правило	a rule
право	a right
праздничный	festive, celebratory
практически	practically
прачечная	laundry room
предлагать / предложить	to offer, to suggest
предпочитать / предпочесть	to prefer
председатель (m.)	chairman

представи́тель (m.)	representative
представлять / представить	to represent, exhibit
преступление	a crime
претендовать на (imp.)	to apply for
прибывать / прибыть	to arrive (trains etc.)
прибыль (f.)	profit
привезти (perf.)	to bring
привыкать / привыкнуть	to get used to
приезд	arrival
придумать (perf.)	to think up, imagine
приложить руку к (perf.)	to touch
(ему) приходилось	(he) needed to
(ему) пришлось	(he) had to
признание	admission
про (+ acc.)	about
пробка	traffic jam; plug
провайдер	provider
проведение	organisation of, holding of (event etc.)
проверка	a check, check-up
проверять / проверить	to check
проводить / провести	to carry out, to spend (time)
проводиться (imp.)	to take place
продолжать (imp.)	to continue
проживать (imp.)	to reside
производить (imp.)	to produce
происхождение	origin, background
просматривать (imp.)	to look through, to review
промышленность (f.)	industry
промышленный	industrial
простор	wilderness
пространство	space
простуда	a cold
просыпаться / проснуться	to wake up
противник	opponent
протокол	protocol
проточная вода	running water
профилактика	prophylaxis prevention of
прощаться / по-	to say goodbye
проявлять (imp.)	to demonstrate, to show
прямой	straight, direct
психиатрический	psychiatric
птичий	bird (adj.)
путешествовать (imp.)	to travel
рабочий	a worker
развод	divorce
разыграть (perf.)	to play out, perform
рай	paradise
районный	district (adj.)
раковина	a sink
раса	race
расист	a racist
расположенный	situated
растение	a plant
рвота	vomiting
реалити-шоу	reality show
регистрировать / за-	to register
рекламный	promotional
респираторно-вирусный	respiratory viral
реформа	reform
речь (f.)	speech
речь идёт о ...	this is about ...
риск	risk
ровно	exactly
Роскомнадзор	Communications Inspectorate
руководитель (m.)	head, director
руководить (imp.)	to lead, direct
рыбный	fish (adj.)
рыжий	ginger (of hair)
саратовский	from Saratov (adj.)
сбербанк	savings bank
сбережения	savings
свадебный	wedding (adj.)
свет	a light
свидетель (m.)	witness
связь (f.)	connection, link
седан	saloon car
сейф	safe
семейство	family
сердечный приступ	heart attack
сердиться / рас-	to be angry / to get angry
сердитый	angry, cross
сигарный	cigar (adj.)
сигнал	signal
сильный	strong, severe (of illness)
сильная слабость	acute weakness
синяк	bruise, bruising
скамейка	bench
скинхед	skinhead
славиться	to be famous for
сложный	complicated
смешно	funny (adv.)
смс	text message
смеяться / за-	to laugh
смородина	currants
СНГ	CIS (Commonwealth of Independent States)
снять фильм (perf.)	to shoot a film
соблюдение	observance
событие	event
совет	advice, board, union
советовать / по-	to advise
солёный	salted
соловей	nightingale
сороковой	the fortieth
соседка	neighbour (f.)
соседний	neighbouring
составлять / составить	to put together, to constitute
состоять из (imp.)	to consist of
сотовый	cell (adj.)
сотрудник	member of staff
сотрудничество	cooperation
союз	union, alliance
спам	spam
спокойно	calmly

спортзал	sports hall
спускаться / спуститься	to go down
сравнить (perf.)	to compare
среди (+ gen.)	among
ставить / по-	to put, to install
стартовать (imp.)	to start
старушка	old woman
старший	elder, senior
стеклянный	glass (adj.)
стесняться (imp.)	to be shy
стирать / по-	to wash (clothes)
стихотворение	poem
сторона	side
страдать / по-	to suffer
строго	strictly
строительный	building (adj.)
структура	structure
субкультура	subculture
субсидия	subsidy
судебный	judicial
судебный процесс	court trial
сустав	joint
Счастливого пути!	Have a good journey!
существовать (imp.)	to exist
съёмка	filming
сыпь (f.)	a rash
Таджикистан	Tadjikistan
таким образом	in that way
талантливый	talented
татарский	Tartar (adj.)
татуировка	tattoo
телекомпания	television company
тем не менее	nevertheless
тема	topic, theme
тень (f.)	shade
теплица	greenhouse
терпеть / по-	to put up with
технология	technology
тишина	quietness
торговый	trading (adj.)
торжественный	ceremonial, festive
торопиться / по-	to hurry, to bustle
традиционный	traditional
транспортный	transport (adj.)
тратить / ис-	to spend, to waste
трёхзвёздночный	three star (adj.)
убийство	murder, killing
уборщица	cleaner
уверенно	confidently
увольнять / уволить	to dismiss
угощать / угостить	to treat, to offer someone something
удушье	shortness of breath
удостоверение	identity paper
Узбекистан	Uzbekistan
указ	decree
украшать / украсить	to decorate
украшение	ornament
улучшить (perf.)	to improve
умываться / умыться	to wash (oneself)
универсал	estate car
уровень (m.)	level
уставать / устать	to be/ get tired
устраиваться / устроиться	to settle down
участвовать в (imp.)	to take part in
фасад	facade
фен	hair dryer
физическая форма	physical fitness
финансовый	financial
фотографировать / с-	to photograph
форма	uniform
холод	the cold
хранить / со-	to keep, to preserve
хэтчбек	hatchback
химический	chemical
целлюлоза	cellulose
целлюлозный	cellulose (adj.)
целовать / по-	to kiss
цель (f.)	aim
цивилизация	civilisation
чековая книжка	cheque book
честь (f.)	honour
чешский	Czech
чистый	clean
чище	cleaner
шаг	step
шеф-редактор	chief editor
шоу-бизнес	show business
шум	noise
шутить / по-	to joke
эколог	ecologist
экологический	ecological
экономический	economic
эксклюзивный	exclusive
экстримистский	extremist (adj.)
юный	young, juvenile
юридический	law (adj.),
яйцо	egg
ямщик	coachman
яркий	bright
японец	a Japanese